무지개

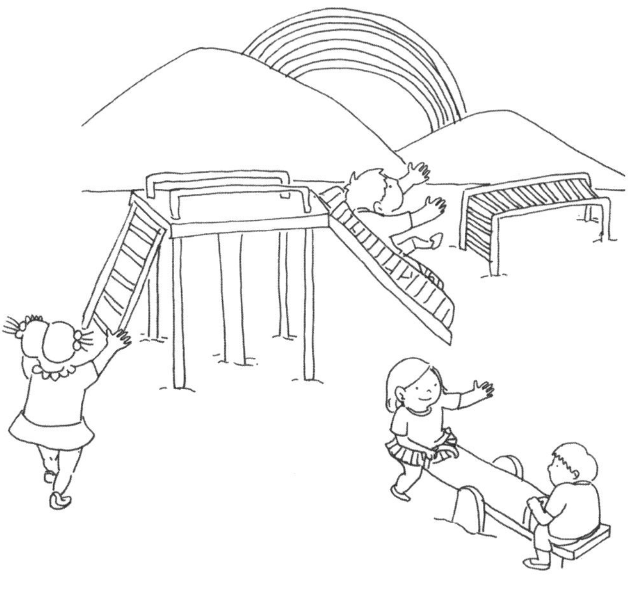

나는 가만히

의자에 앉아 있어요.

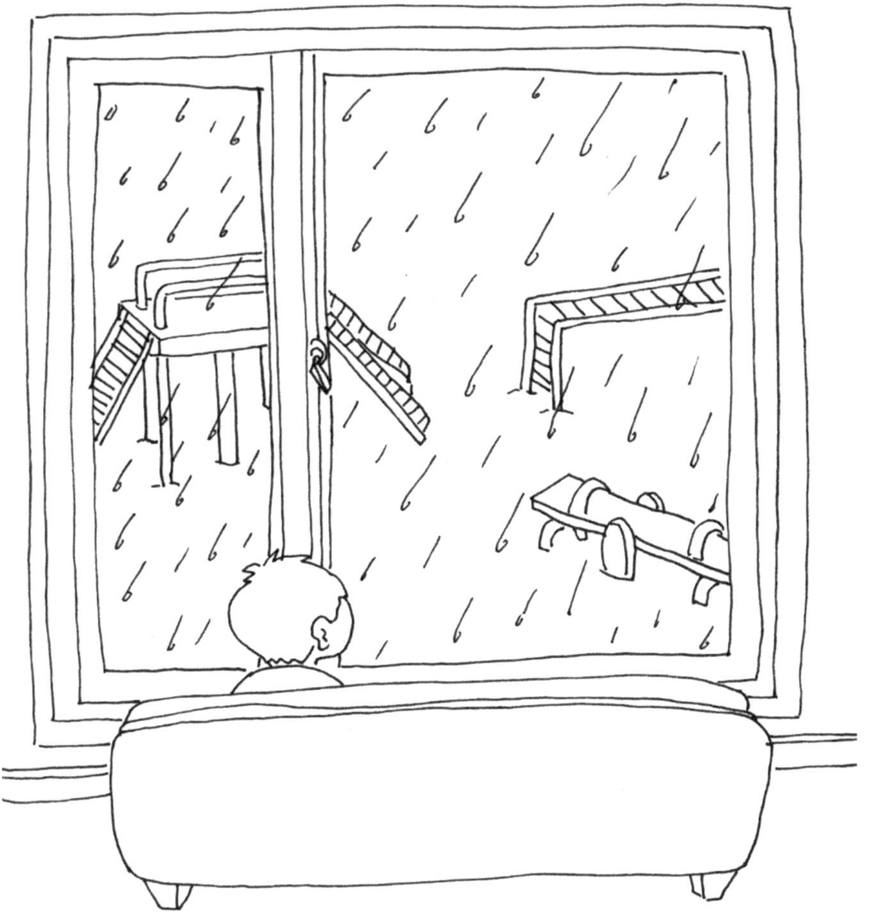

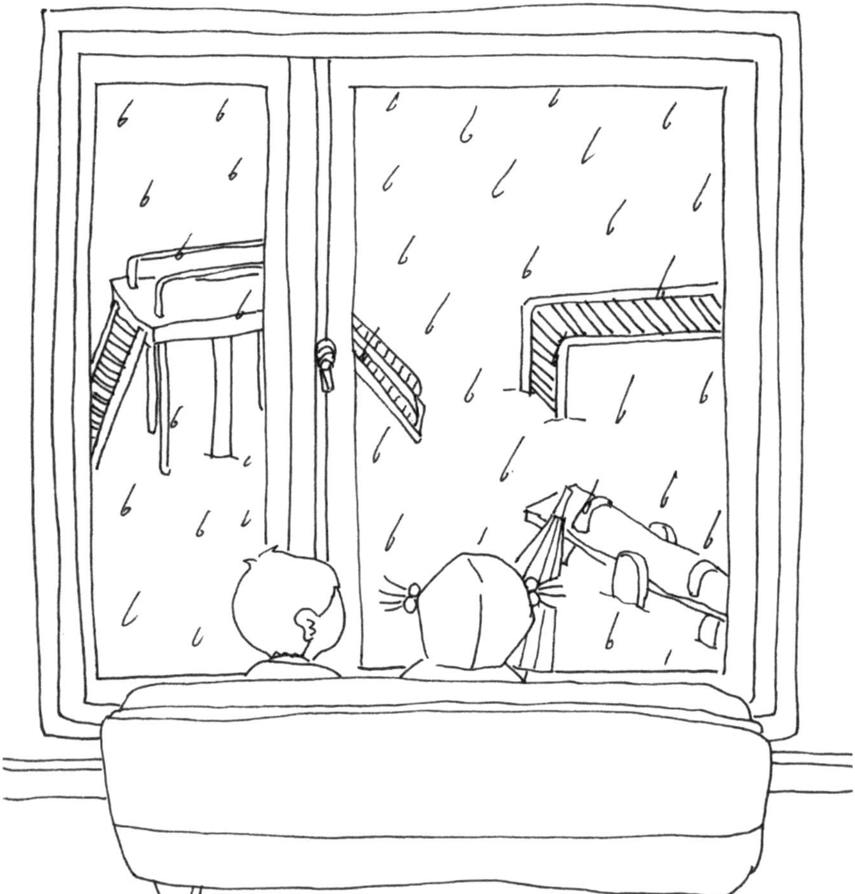

친구와 나란히
의자에 앉아 있어요.

친구들이 다 함께
의자에 앉아 있어요.

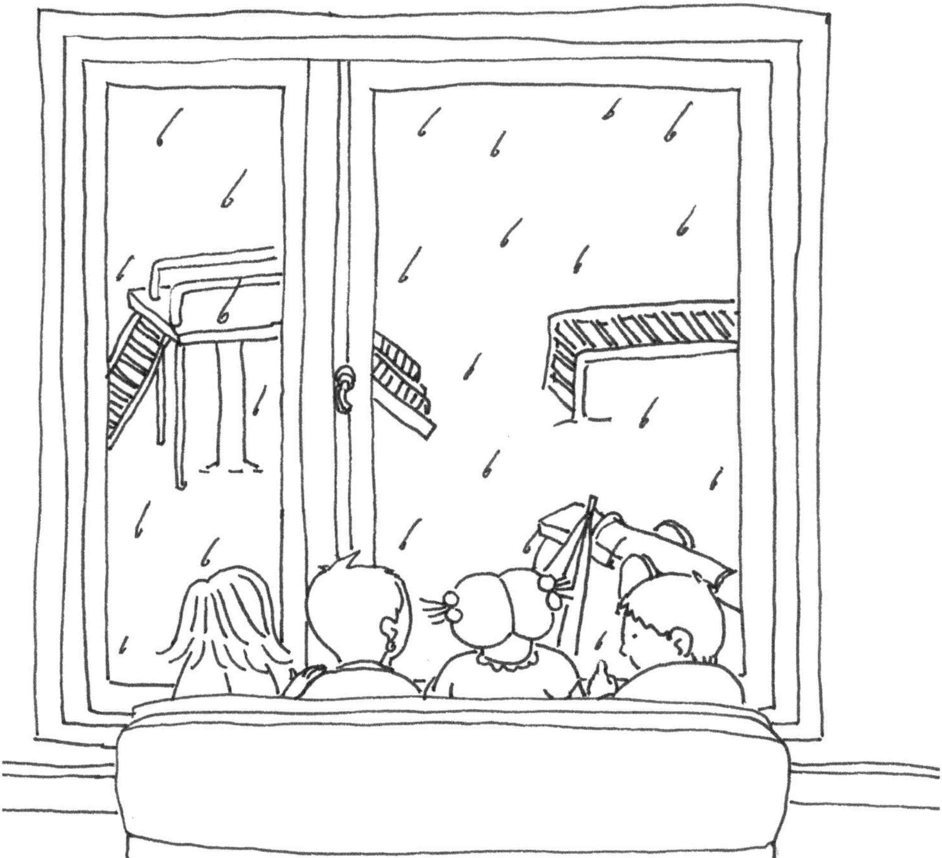

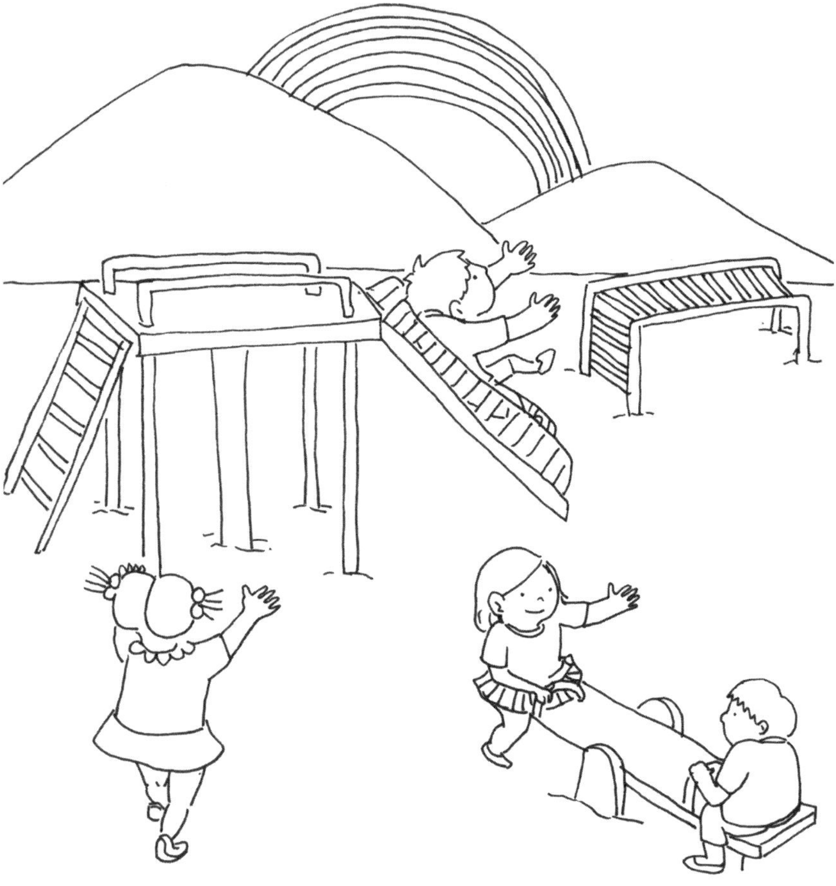

모두 함께 밖으로 나와

하늘을 봐요.